Ainsi va la vie

Lili e

à

Domini

©ALLIGRAM

CHRISTIAN ○ALLIMARD

Série dirigée par Dominique de Saint Mars

© Calligram 2012
Tous droits réservés pour tous pays
Imprimé en Italie
ISBN : 978-2-88480-620-6

5

7

Eurêka*, j'ai trouvé ! Lili ! Cette année, on va s'amuser avec cette plouc ! Ma pire ennemie !

Tu rigoles ? Lili est bien plus coriace que Marlène !

HUM!

En plus, elle n'est ni trop grosse ni trop maigre, ni trop bête ni trop intello, ni trop riche ni trop pauvre ! Et le pire, c'est que tout le monde l'aime bien ! On va se planter avec Lili !

Moi, j'aime les défis ! J'arriverai à la faire craquer !

* Eurêka : mot grec qui veut dire « j'ai trouvé ! »

8

Si ces trois pestes recommencent à m'embêter comme avant les vacances, je leur casse la figure !

Elles t'ont embêtée...?

Harcelée, oui ! « Taille de guêpe », « Top model », « Tu fais pitié », « maigrichonne », « tu veux mon goûter ? » ... L'enfer !

Mais tu en rigolais, Marlène... !

Tu parles ! C'était pour pas perdre la face !

12

13

14

Merci encore pour le goûter, Valentine !

Qu'est-ce qui se passe ?

Lili, après tout ce que tu nous as dit sur Marlène et Clara, on ne peut plus être tes copines !

Ce n'est pas bien de dire du mal des autres, Lili ! T'es qu'une langue de vipère !

18

Mais si, je vous jure ! Elle a dit que vous êtes des nulles !

Et que vous lui faites pitié toutes les deux ! Pas vrai, Sarah ?

Euh... euh... Elle a dit que vous l'avez un peu déçue !

C'est vrai ! Croix de bois, croix de fer, si je mens je vais en enfer !

21

23

24

Vous ne me faites plus confiance ? Vous croyez Valentine plutôt que moi ?

On t'avait prévenue !

Tu as fait ton choix !

Tu es seule, Lili ? Si tu jures de ne plus dire du mal des autres, si tu nous demandes pardon à genoux, tu peux jouer avec nous...

Quel caractère de cochon ! À partir de maintenant, plus personne n'a le droit de jouer avec Lili.

HIHIHI

HUM

Enfin, Lili, tu fais encore pipi dans ta culotte ?

28

* La maladie d'Alzheimer fait perdre la mémoire.

UN PEU PLUS TARD...

Tu sais, Lili, avec des gens méchants comme ça, il n'y a qu'une seule bonne vieille méthode, préhistorique...

PAF !

AU SECOURS !
Au secours !

PAF !

Au secours ! Au secours !

Lili, j'ai rien fait, moi ! C'est Valentine et Jennifer qui ont inventé ce jeu débile pour te casser !

T'as quand même participé à ce jeu débile !

Enfin, les enfants... vous jouez à quoi ?

Ce n'est pas un jeu, maîtresse. Lili est victime de harcèlement !

AH ! AH !

35

36

Je veux vous voir toutes les trois, demain, avec vos parents, dans le bureau de la directrice.

Lili, tu mériterais aussi une punition. On ne résout pas les problèmes par la violence !

Je sais, je sais, maîtresse... Je n'ai pas pu me défendre autrement... C'est leur violence qui m'a poussée à la violence...

Et toi...

Est-ce qu'il t'est arrivé la même histoire qu'à Lili ?
Réponds aux deux questionnaires...

Tu es le souffre-douleur ? En général, c'est toujours toi qui « prends »... ? Personne ne remarque ta souffrance ?

On te harcèle comment ? Par des moqueries, des tapes, des brimades, des mensonges ? Et sur Internet ?

Tu penses que tu le mérites ? Tu te trouves différent ? Timide ? Bon élève ? Tu as un handicap ? Tu as peur ?

Tu te sens seul, déprimé, en colère ? Tu hais ton bourreau
ou tu l'admires ? Tu dors mal ? Tu veux changer d'école ?

Tu en as parlé ? On t'a cru ? Ton agresseur a été puni ?
Ou bien on t'a dit « c'est pas grave » ? On a rigolé ?

Tu n'en parles pas ? par honte ? par fierté ? pour éviter
des soucis à tes parents ? Personne ne peut t'aider ?

Tu te sens fort ? On te craint ? Tu n'as pas peur de dire ce que tu penses ? Tu sais te défendre ou te faire protéger ?

Tu défends ceux qui sont harcelés ou dont on se moque ? En attaquant les agresseurs ? Ou en les dénonçant ?

Ou tu laisses faire ? Par peur ? Par lâcheté ? Ça ne te concerne pas ? La violence, pour toi, c'est comme à la télé ?

C'est toi le chef ? Tu veux avoir l'air d'un dur,
être admiré, avoir plus d'amis... ?

Tu te sens « provoqué » ? Tu veux te venger ? Tu as déjà
été harcelé ? Tu ne sens pas la souffrance de ta victime ?

Tu dis que c'est pour rigoler, que c'est pas grave ? Sais-tu
que harceler n'est pas un jeu ? que c'est puni par la loi ?

**Après avoir réfléchi
à ces questions
sur le harcèlement,
tu peux en parler
avec tes parents ou tes amis.**

Dans la même collection